D0808733

Mots qu'elle a faits terre

Du même auteur

Chez le même éditeur

Māyā partir ou Amputer, poésie, Ottawa, 2011, 152 p.

Mon Ꝉ'univers est un lapsus, poésie, Ottawa, 2014, 184 p.

Gilles Latour

Mots qu'elle a faits terre
ou
Le feu aux joues

Poésie

Collection « Fugues/Paroles »
Les Éditions L'Interligne

Catalogage avant publication de Bibliothèque et Archives Canada

Latour, Gilles, 1946-, auteur
Mots qu'elle a faits terre, ou Le feu aux joues : poésie / Gilles Latour.

(Collection « Fugues/Paroles »)
Publié en formats imprimé(s) et électronique(s).
ISBN 978-2-89699-488-5 (couverture souple).--ISBN 978-2-89699-489-2 (pdf)

I. Titre. II. Titre : Feu aux joues. III. Collection : Collection « Fugues/Paroles »

PS8623.A812M68 2015 C841'.6 C2015-904552-5
C2015-904553-3

Les Éditions L'Interligne
261, chemin de Montréal, bureau 310
Ottawa (Ontario) K1L 8C7
Tél. : 613 748-0850 / Téléc. : 613 748-0852
Adresse courriel : commercialisation@interligne.ca
www.interligne.ca

Distribution : Diffusion Prologue inc.

ISBN 978-2-89699-488-5

Dépôt légal : quatrième trimestre 2015
Bibliothèque nationale du Canada

À la douce mémoire
d'Annette Charlebois (1922-2013) et de
Diane Latour (1952-2012)
– ce petit livre ne raconte pas leurs histoires ;
pourtant, je n'ai cessé de penser
à elles en l'écrivant.

Quand le ciel et la mer
Se seront épousés
La mer n'aura plus de marées.
Rina Lasnier, *Marées*[1]

Rien n'est prévu pourtant la bouche du
corps à corps excitée par les mots trouve
d'instinct l'image qui excite.
Nicole Brossard, *Sous la langue*[2]

Et tu as rempli ta bouche de terre
Tu as scellé la dernière fissure !
Rina Lasnier, *Le mur*[3]

un

la barrière du verbe divin et ses pompes
proverbiales ne rougissent plus la racine
hystérique du sol que son pied caresse

l'eau de mers anciennes coule
des goudrelles de son corps
sans crainte ni vengeance

mais voici qu'une mort douce
la réveille pourtant sous une
cascade d'eau de Javel
dans un boucan d'épices–

une cigarette ? non
mais un petit poisson
dans un vaste bocal
        peut-être

deux

idolâtre
immunisée contre le vacarme
des détonations qu'elle provoque
sous la couche de l'insultan(t)

submersible –
amnésique à quatre pattes
pour brouter les redites du cahier
face au faste spontané

d'une érection – la préface avorte
d'un caillot à la porte et s'excuse déjà
d'être poète : les comprimés qu'elle
vomit (dring !) si vivement, l'occupation

qui déplace le sentiment de l'otage
inaccomplie et les pierres qui convolent

trois

refus de viol
ses ailes de libellule repoussent

elle rengaine son silence et se constitue
prisonnière d'un caprice de truite

elle invente quiconque l'aime
triangulaire ni neige ni missile

quand elle arrose ses roses, ses roses
sont roses, et quand il pleut ses roses sont bleues

le pseudonyme qui lui pend au bout du nez
la résume, un caprice blême en bout d'haleine

dans le miroir qui lui refuse son reflet
et qui l'avale, un mage fouille son village

en vain : la vierge fait feu, puis disparaît
et le train se plaint d'une rage d'espoir

quatre

elle qui a l'épaule nue au réveillon
et séduit le tueur à temps en se pliant
parmi les meules au chant et rend le mal
aux dents, elle qui flanche puis elle
qui reprend le volant, qui se recoud
comme un nombril incompréhensible
quand son reflet l'aspire et quand
l'ambulance la vide de son sang

elle, quasiment fille d'évêque
avec ses paroles du haut
de sa chair mais sans
jamais se voiler le visage
de chirurgie ou de grammaire, elle
qui palpite et qui gémit

cinq

son horloge biologique pioche
des monticules de diamants noirs
et la vague unique l'enlève et la dissout tant
que l'horizon cesse de promettre des cordillères

car sa seule compétence de vilebrequin soufi
suffit au requin de l'archipel des galets pourris,
elle qui moissonne des organes spontanés
en lançant ses yeux par la fenêtre

et son cœur qui sort pour prendre froid
voit ses seins qui fument dans le verger
du voisin, où un pédicure radical
lui laisse les pieds en feu

– c'est que cette route ne cesse
de s'allonger, songe-t-elle.

six

elle oublierait de vivre
si la vie qui la voile ne l'oubliait

et elle consacre à un pari d'avant-garde
cet humour de bossu qui la largue vers les étoiles
dans une fusée propulsée par des vapeurs d'anges

puis l'échange de carapaces lui permet
de se loger intimement chez l'autre
où elle avance inaperçue et dévorée

dans la cendre brûlante
du murmure divin

sept

aveugle et voyant, le vent se faufile
par la fenêtre de son chemisier vide
qu'il remet au temps

c'est qu'aveugle et voyante
aux seins de nuages amoureux
d'elle qui nous dissimule les étoiles

elle se baigne
et nous éclatons de rire comme des hyènes
car nous nous savons en ville
prospères et comblés pour de bien petits péchés

ses cheveux de nylon nous serrent le cœur
et nous nous savons en ville
aveugles mais voyant
le vent qui se faufile

huit

on la vit bondir dans l'air irrespirable
des cafés où s'ouvraient une à une
les cages méthodiques des livres

immobile malgré le goût amer
des voyages sous son chapeau
glacial et sa chair se creusait
de couloirs violemment éclairés

faut-il se surprendre qu'il arrivait
qu'elle tombât à genoux en état
de conduite automobile et fût ainsi
la cause d'innombrables sacrifices

on prit ainsi la mère pour la fille
et la fille pour son mari et tous trois
échappèrent aux pièges de la nuit

neuf

les balais branleurs oscillent sous les étoiles
rieuses dans la toundra du dégel
où nous dormons nus
et tendrement enlacés
dans les ailes d'une choucroute
la bouche pleine de sable
nous acceptons sans frémir que la beauté
soit un fléau
ses chauves-souris décorent les sapins brûlés
de notre péché originel et sous ses jupes
on entend le dialogue en sourdine
des trombones
sa rumeur saline se rapproche
et nous mélange à son sang épais

dix

des averses soudaines d'épingles de sûreté
interrompent leurs coïts spontanés
et elle profite des accidents de terrain
pour étaler ses veines sur le gazon
révolutionnaire où il devient de plus en plus
difficile de respirer

elle suscite d'impitoyables espoirs
en érigeant une usine d'emballage au bout du quai
le chef de gare la serre dans ses bras comme un lac
immense qui se vide de ses poissons

et sur le coup de midi, quand elle arrache la page du calendrier
le petit Gitan qui porte sa guitare
comme un arc-en-ciel
en a le cœur brisé

onze

jamais on n'a cru qu'elle pût s'intéresser
aux pépites qu'on fait rouler aux pieds des
purs, c'est le désert encombré d'ombres
et de gaietés crues qui l'attirait

et sans l'apparition inexpliquée
dans le porte-vaisselle des cuisines d'alors
de ces briques colorées et poreuses par milliers
elle se fût faite pêcheuse d'éponges ou de perles
car on ne l'a jamais vue suer

elle rangeait ses pensées sous le lit des enfants
peu après leur naissance avec les bougies et les gaines
car la manufacture de cadavres ne fournissait plus,
tant les locomotives en réclamaient pour leurs éventails

d'étincelles qui font frissonner les distances
et qui surissent les lunes de miel

douze

même timides
les typhons dévastent ses corridors
et les comptables cherchent refuge
sous les comptoirs qui croulent sous son sucre
pour rédiger leurs dernières volontés –
    en colonnes parfaitement réglées –
et tandis qu'elle évoque les paysages bucoliques
d'un autre âge, la mer arrive par les miroirs
se répand dans sa chambre puis inonde
le salon où les coussins flottants
prennent la forme de ses baisers.

Alors son corps acquiert la lourde beauté
des corbeaux fuyant un champ de blé
pour traverser l'autoroute devant nous

treize

une de ses filles qui fut peut-être aussi
notre sœur laisse des moineaux nicher
dans les buissons de ses aisselles
et des sittelles sous ses nichons

mais le compas chante sans remords
comme un torrent dans une corbeille
pleine de tessons, en attente d'ailes

en faire des anges, disait-elle aussi
de la poésie et de son nomadisme
immobile sous la tente, car la catin
couve en elle tous les feux de forêt

et confond en une seule les langues.
Il suffirait d'un larron qui passe près
pour que le jour se réveille, en elle

quatorze

bar ouvert
tapis rouge
baise et beige à volonté
le temps d'une *cigoune* et de pisser
ce corps lumineux d'enjambements
et de rejets par les forêts et les rivières et d'envahir
les grands hôtels pour y déposer paresseusement des châles
sur les épaules lasses, car il y eut des servantes
des esclaves des amantes et les murs lents
du Nord, ces cages suspendues
par un coin – elle attend

la mort comme une amie
qui arrive sans s'annoncer
et qui entre sans sonner

quinze

tous ses incendies conservés comme des reçus
ces parfums vides offerts aux passants vites
la promesse mûre de ses fruits, la lune
reconstituée de ses fragments
dans du vin chaud

ses mots passent inaperçus dans le noir
elle ouvre les yeux pour que la nuit
l'emplisse de son encre
et l'écrive, gisante
qui voit tout

la nuit la dévore nue
la fond dans son silence
pour en finir avec sa mort
et ses menstrues sucrées

seize

une amicale trompette un trombone boulimique
et un saxo miniature cognent à sa porte.
On la surclasse et elle voyage dans la rivière
immatérielle de ses mains

elle fait profession de bagues
et d'intentions vagues et de courage bavard
elle est la symbiose des doux tambourins
et le lait des étincelles qui soupirent d'aise

mais aussi la baise-boue
couronnée de guêpes
et courtisée par un gant

son cerveau baigne
dans l'eau des roches
du boulevard incandescent

dix-sept

elle a rêvé
que nous aimions
et que nous habitions son rêve
mais déjà elle s'appuyait aux murs fondants
de sa chair qui couvait des perles

elle a rêvé qu'elle exerçait le métier de scaphandrier
qu'elle descendait aux Enfers et que sa mort
ne tenait plus qu'à un fil

puis elle a rêvé qu'une rage
de vivre la retenait par les pieds –
elle entendait le bruit des marteaux-piqueurs
et se taisait en serrant les poings

mais elle sut se consoler aussi
et elle songea que cela aurait pu être Genève

dix-huit

la vente prononcée de ses tintements
la réveille et chacune de ses phrases
est suivie d'un long silence

pas question de renverser la vapeur
de revenir sur ses mots, on lui arrache
l'haleine saisie d'un immense tremblement

loin de l'horloge qu'on ne remonte pas
la solitude chaude comme un pain pour soi
dans une cage qui ne ment pas

la locomotive puis tout le train déraillent
elle tousse dans ces carnets, un long silence
précède chacune de ces phrases où le présent

s'absente, le verre se tait au fond des orbites
ce chant ressemble à la détresse d'un regard

dix-neuf

peu fanatique de taille dans sa chair
de pièce à conviction, la route patiente
n'attend personne sur le pas de sa porte
quand l'heure vient de s'enchâsser

revoyant ses promesses elle efface
goutte à goutte l'avenir des objets
de mémoire et met en orbite
les échos sous son chapeau

le remords qui la dénude
bloque tout et la regarde –
où la vie lave sa lumière
réside sa pâleur bleue

l'attrait du lait et un désir
de crème dès l'aurore

vingt

elle disait :
l'agneau qui saigne en moi trahit
le rêve où mes morts se souviennent
des étoiles disparues sur ma langue
où l'acrobate qui tombe du fond marin
chérit les reliques salées de mes seins

et elle disait :
il fut victime d'un glissement de terrain
il demeure amer d'exil au bout de la jetée
il se repose d'aimer les fourmis de mon sang
il flotte sur ma lave d'ils

puis elle ajoutait :
débarrassée de mes plumes je déprose
sinon, la vie me serait intolérable

vingt et un

mille collisions d'étoiles dans ce mariage
d'oiseaux aux murmurations fébriles
de poussière et de mots
la déshabillent

sa douleur fait danser des voyelles
sur ses consonnes et l'encens paresseux
de ses poissons fait tourner l'éventail
lentement, comme les tulipes.

La nuit tombe au moindre coup
de sifflet et tous les verres de chevet
attendent le sourire de son dentier
pour disparaître

elle
qui n'a jamais mis les pieds à Beyrouth!

vingt-deux

une flamme niche au creux de la main
qui veut tout bénir et sa voix couve
le bruissement des bagues avaleuses
de murmures, c'est ce silence soudain
qui blanchit les moulins, qui efface
l'abcès du devoir de venger –
entrez, venez
gifler ce martyr qui parle d'immortalité
la concierge vous prêtera son suaire
et vous lui laisserez vos savates
vos cannes et vos épées

car la défaite transforme déjà
les obus de son jardin secret
en fruits

vingt-trois

des fleurs, des fruits, des noix
et des plumes, pense l'arbre
et de l'eau à mes pieds
aux moments de noirceur

ici
la menthe est bleue l'ombre verte
et l'arbre de tout repos

ici le silence est de soie qu'on déchire
la parole une râpe d'ongles
sur la chair

puis il aura presque neigé
et elle fut mon futur antérieur ; ici, on dit bonsoir
aux chats mais jamais aux chiens,
on oublie qu'on se souvient, vaincu d'apaisements

vingt-quatre

elle a beau vouloir ce qu'elle veut
la volonté de vivre
meurt aussi
une vague de remords la livre à la brûlure du sable
sur un lit d'écorces
d'oranges et de citrons

sa fille apprend à lire, chaque regard
un fragment de graisse sur la flamme
inlassable qui lui lèche
le bout des doigts, assoiffée
de tout dire elle recueille
chaque cil dans une enveloppe

qu'elle porte à la poste, les yeux
fermés sur l'avenir qui s'éparpille

vingt-cinq

tout ce qui s'oppose à la convulsion
du cœur file sous la plante des pieds
le temps file au grand galop
des prophéties ordinaires

la paille de ses cheveux s'allume sous la croix
et ses petits bras s'agitent devant la bouche
de l'utérus en ruine
sous l'olivier d'Abel

au passage des trains de poussière
le compas vorace de noirceur
accueille l'accent aigu
des rumeurs polonaises

car l'angoisse d'une patineuse couchée
en travers des rails lui taille les dents

vingt-six

elle ferme les yeux
pour entendre le rêve blanc
qui lui ruisselle sur la langue

le présent se dissout sur ses lèvres
de Cana dans la mémoire d'une religieuse
qui riait aux noces de sa consœur

puis elle ferme les yeux pour mieux se voir
quand elle se marche sur les paupières
dans l'eau d'un rêve noir

et se prosterne tant devant l'autel
que ses cheveux repoussent dans la durée
du parfum de son sang profond

et son regard ne connaît plus l'agneau
qui lui tirait la langue, évanoui

vingt-sept

elle
iconique déjà et debout
devant la mer, ne voyant plus
que les os ronds et laconiques d'îles
antérieures à ces chutes brèves dans le puits
du ciel, quand la nuit cède
à force de dissimuler –

le rire alors alerte les mouches des bienfaits de son iode
et du *je* objectif des cabales en cavale
jusqu'à *nous* et de tirer le rideau
qui masque les masques

mais sans battre la chamade ni
capituler, elle qui sourit
de se souvenir

vingt-huit

car les masques n'ont d'yeux
que les siens, le sabbat de ces lieux
de vaisselle brisée a l'odeur
de son corps de fauvette

déchaînée, moins étalage qu'état
d'âge où elle va la nuit le doigt
pointé, au jardin se souvenir
d'avoir volé le mot *aile*

au pluriel qui lui colle au palais,
trahie par tant d'oubli, remise
en liberté de langue ou de silence
dégrisée, belle comme une faim

mais laide aussi comme le divorce
dans la matière de ses mots

vingt-neuf

lavés
dans les lambeaux du jour
ses mots coulent
dans le ruisseau
vers l'égout

les jets de sang
dans son dos
ne sont plus des ailes
mais des prières –
le hibou béant de la plaie reste vide

la faim passe pour chiche
ses vents l'ensevelissent–
la fin s'annonce par des fissures

et l'argile gémit

trente

la ville foisonne
et tout frissonne sur le flanc
d'une théière polissonne, passants
anonymes gisantes intimes s'étreignent
et se confondent dans l'éclair de l'horizon
éphémère et courbe, le soleil ment
aux blancs de pluie menteuse
la peur se rend aux abouchements
des parkas à goût de paille que nous
n'attachons plus et celle qui s'approche
de sa voix pour inaugurer la sienne, furtivement
l'aimée du ciel, choisit son faix d'ombrage
et ne craint ni à pied ni à cheval
le parti pris de ses ténèbres

trente et un

peu bavarde
mais jamais alanguie
sur les balustrades hardies
et les puissants tapis, elle hume
les pierres humides des murs exhumés
et son corps demeure l'irréfutable lune d'argent.
Tolère-t-elle qu'on lui allume sa cigarette
sur le paquebot homérique – d'où
la poésie ? Souris, disait-elle
au corps absent suspendu
comme une défroque
d'enfant à la patère,
puis elle se rend
aux appétits,
affluant

trente-deux

elle passe
où l'attente recule
et la trace nulle de ses pas
sur l'eau se tait au clair de l'aube
à sa fenêtre

elle passe
où l'« à venir » de ses rêves
de souris blanche et de jeune mariée chauve
ne sourit plus à la vipère orpheline
qui engendre l'extase

le coiffeur calme
qui empoigne le sixième doigt
pour peigner les entrailles muettes
des oiseaux matinaux

trente-trois

les branchages parfumés
percent le plafond de la chambre
et elle avance par cœur dans la rue
enivrée, vers la vie. Sous ses pieds
ni les fleurs ni les bijoux inaptes
à chatouiller l'amour de sa bouche
de brouillard haineux ne lui feront
aimer les mathématiques lumineuses
de la chapelle où l'appelle la chirurgie
à l'heur de sa mort repoussée, elle sait
trop que les femmes ne prononcent pas
les fatwas – alors les mitres surgissent
de la brume comme des dorsales
de requins et elle dort sur son pain

trente-quatre

ce vent fait claquer les portes et tisse
ses fils aux cheveux d'une noyée
récente, malgré les percussions
de la mousson qui l'assourdit
elle tend l'oreille aux chants
très doux de trois girafes
suppliantes sur le toit

sa maternité râpeuse approfondit
la maladie de ces sirènes de l'air
qui laissent aussi leur trace
dans le sable simple
de l'esprit, s'il faut
manger la chair
et sa fourrure

trente-cinq

un attachement monochrome et perplexe
de vagissements au fond de la fosse commune
et de suie rouge
sur fond de conversations psalmodiées
aux terrasses des bars, sa voix s'anéantit
debout sur ses racines

la glace chante la neige chagrine –
les loups lui ont arraché le ventre
et la suie de son visage nous suit
son beau visage vague de nuage
dans un nuage de fumée rêve à sa lune –

neige chagrine, attendre recule
et ce mot au juste
d'où lui vient-il ?

trente-six

l'amoureuse du nuage qui lui
fait signe de blondeur n'allume
plus le phare qu'on lui confie

ses chants oubliés de certitude
sans vacarme l'ont désarmée –
elle qui renonce à sa moitié

il est temps de rendre l'uniforme
et de prendre livrée, car la rivière
qui la lavait l'a déjà déshonorée

d'incertitude et de vacarme –
elle qui reconnaît sans surprise
ce goût de peau : ce qui pourrit

ne pourrit plus, mais la nourrit
d'une lenteur de vin noir
et de lointains soleils

trente-sept

elle affiche en requiem le sourire
de la chauve-souris qui niche dans ses cheveux
où sonnent les cloches d'une église russe –
là-bas le canon tonne
plus loin le train trille
et plus personne ne s'étonne
si ce glas glane jusqu'en Prusse

ici, une valse pessimiste
entre en gare puis en ressort en se grattant
la guitare
tous les soupçons sont fondés à son égard –
en ville, un parfum de cèdre et de tabac persiste
ses narines nous caressent et les cheveux
de sa maison morte sont en fleurs

trente-huit

ces mots faits terre qu'elle fait taire
nous mettent le feu aux joues
et la faim qu'elle voit
avec sa voix s'éteint

sa veine avide est vide
son âme étale sa cyprine
alourdie dans l'herbe pâle,
elle détale s'envole s'évanouit

en hirondelle égarée dans ce folklore
joyeux, dans les décombres de *La Joconde*
joyeuse de brûler dix mirages
pour une oasis – alors, la mèche
banale et sans bombe
          résiste

trente-neuf

elle tend l'oreille aux rires décousus
de l'hyène mélancolique
qui occupe le rez-de-chaussée
de ses paumes caressées

cette nouvelle maladie l'engonce
dans le refus de la pagode
mais la mort brève
reverdit tout

à la blague, la buandière négocie
le sang de son savon et l'anathème
de ses cuisses déchiquetées.

Coup de foudre ou rage
de pieu, l'origine est contrôlée –
alors, qui cogne à la fenêtre ?

quarante

celle qui se tient à la fenêtre
se rappelle à vous et le lancer de la hache
remplace le vol à vue

chaque pas la précipite
dans un vide où son cœur bat
dans le rétroviseur des cent mille virgules

elle qui voyage en transport public
avec la mort à petit feu, quand elle passe
la campagne se referme

et ce passage lui vole ses champs
et l'horizon l'essouffle, elle
qui soulève les lames de ses paupières

car il faut deux pierres pour tuer l'oiseau

quarante et un

quand l'haleine de son âtre
et l'éclair sur sa langue l'ont
empêchée, nous rampions tous
vers avril sous le microscope
et dans la circuiterie de brume
pour caresser ses yeux bruyants

ceux qui respirent aveugles
à son flanc le hasard des rues
nécessaires quand elle marche
sur ses dents pour défendre le sel

ceux et celles qui n'entendent rien
à leur peau mais qui attendent tout
de la sienne, se nourrissent de son
jeûne pour rétrécir

quarante-deux

les yeux de sa bouche nous ont mis en joue
elle a déposé deux cennes rousses
sur les rails
et le cerne bleu de sa robe comme une ombre
à nos pieds
hormis la beauté de vos cheveux
ma vie a le sens d'une nuée d'éperlans bleus
nous disait-elle
puis elle a eu si peur
si froid
elle pissait en chantant
elle chantait en pissant
l'arrogance des grands espaces s'approchait
l'écornifleur lui soufflait son psaume

quarante-trois

l'ultime saison de ses sécrétions d'amour
et les sueurs du plaisir l'empruntent
au parfum des déluges
un mètre de souffle l'essouffle
pour survivre à l'élégance
elle cesse enfin de renaître

c'est à l'ombre de nos cris qu'elle se murmure
sous le tréma criblé
de ses paupières
déjà mûres

elle signe sur la ligne d'horizon
puis échappe
à la gangue de son nom

quarante-quatre

la foudre intime des baisers anthropophages
sert de relais à l'enrochement de son passé
de sable au milieu de l'espace présent
qui s'allume s'enflamme
et se consume

la jardinière suspendue désherbe avec ses dents
le jardin des mensonges, chaque instant
une agonie de l'âge et le passé encore
futur, voici ce qui se passe
dans les décombres

de la plus haute couture : la peau de nos paumes
l'habille, mais elle demeure vêtue de nuit
et la cavité se gave en elle
de métal gris

quarante-cinq

un coït en coulisse
une fièvre la secoue
brise l'eau
lave le charbon
qui est le lieu de sa solitude
quand elle dit : je ne suis pas
le lion, il n'est pas mon non !
et comme *comme*
n'est pas comme
elle nous décrit son invention
en nous assurant qu'elle n'est
ni le pain,
ni le vin,
ni le corps, ni même son sang

quarante-six

comme l'absurde singularité d'une aile unique
l'effet précède ici là cause
et hier succède à demain

car sa chair aussi eut ses marées
et ce furent ses lunes qui firent lever
ses rêves
alors voyage, voyage
mais laisse une jambe derrière
et une dent

hautes haies de part et d'autre,
ce corridor conduit tout droit aux plates mers
de l'intérieur, où tout
si glissant
sera

quarante-sept

les ciseaux mous qu'elle oublie sur sa table de chevet
quand sa main tremblotante
recouvre le visage
de petite fille
de petite vieille
du petit chat blanc

ce qui n'a rien à voir avec la biographie de Mme Curie,
son irradiation, sa mort douloureuse
ni avec la reproduction
à la craie de couleurs
de *La Joconde* sur un trottoir
avec un carrousel de mésanges muettes lui auréolant
le crâne

ni même à vingt-quatre seins/seconde…

quarante-huit

sa lassitude
de conserves d'ananas
de prépuce au repos sur la lame
du beurre fondant à lui couper le souffle
et même le *wourrou* des pigeons sont l'étain
de la mère qui s'enfonce dans les sables mouvants
de Lisbonne et bien avant, malgré sa fièvre

alors
d'où sort ce sourire sans bouche et ce chant
de faim, ces regrets de madone en déroute
et de boue animée, comme si l'âme
n'était que l'absence
après

mais au diable nos rorquals si le mazout passe

quarante-neuf

elle admire les insectes parcimonieux
dans l'herbe maigre et pâle
sur le crâne de l'hiver

et nous
l'immanence réfutée
de sa chair libre de se vendre
dans le port où l'on éviscère

ici, la moindre brise
bouscule sa noblesse vespérale
par un enchaînement de lèchements huileux

et là, dans l'herbe rare sous les arbres nus
où fume le musée des murs

la déflagration amuse
le collecteur des admissions tardives

cinquante

sous la lune chauve
la sainte du vitrail danse sur ses œufs
elle perpétue l'illusion du libre arbitre
et nie l'obligation de rime
en bout de ligne

foi et désarroi, mots d'abîme
car il arrive à la mort de ne pas tuer
mais de taper du doigt
à la fenêtre pour qu'on
se rappelle d'elle

ce hibou blanc se prend
pour une âme et le jus des étoiles
qu'elle mord la dissout en spirales d'éther

l'eau sans le verre – qui l'aima ?

cinquante et un

c'est le jour qui nuit le plus
à son banquet si l'os lunaire
reste muet, mais pas le chien
de la voix qui dépasse de son
corps quand elle se met à table

la malice du petit sein pointu
sourit encore à qui l'aimait et
son Poucet amical mais fluet
échappe sa miette sous la table

comme si elle suppliait : « Lave-
moi le corps de ce dédain animal
et des fers d'origine encore à tes
chevilles » – alors, elle put enfin
quitter la table

cinquante-deux

l'encensoir s'envole au bout
de sa chaîne mais il reste poli,
elle ferme les yeux pour humer
le corbeau puant et ses mots tout
de blanc sont vêtus, elle remet au
charbon ses promesses de suie, elle
rembourse aux charlatans les querelles
et les serments qu'elle a trahis, elle nage
sans sillage dans le sang de cent solitudes,
puis elle essuie sur sa manche les reproches
des nuages qu'elle n'a pas suivis; des nonnes
polissonnes dévorent la paille et la glaise de la
lune et de son encrier, ses griffes s'arrondissent
sans refus

cinquante-trois

chaque caresse creuse le brasier
d'une bouche nouvelle et de la
lave qui en coule ; son parfum
survit à la pluie et la forêt
lui lèche le bout
des doigts,
affamée de liturgies
brutales pour guérir la rage
et venger la faim
qui s'éteint
avec sa voix ;
le soleil roule
sur le rail de l'horizon,
la forêt lui grignote les seins

cinquante-quatre

gravés dans le granit qui enterre
sa maison les idéogrammes l'effacent
quand elle retient son souffle

déjà le jour lui masque l'impudeur
d'une étoile filant vers son corps
qui se multiplie à la cime des arbres

et la fumée qui se plisse aux fenêtres
la dénoue et l'inhale comme le sable
des plages qui dévorent les vagues

elle baisse les yeux car demain
ceux qui l'aiment l'auront mangée
et elle aura tout son temps pour chanter

tout son temps, debout devant le phare
comme une enfant sans son père
          sur la pointe des pieds

cinquante-cinq

la vrille embrouillée du derviche perce
le ballon de l'affameuse atmosphérique
et l'air qui s'en échappe compose
la moraine de ses prières

elle revient de si près sous le mirage
de ses cils et sur la marée de son sang
que le trois-mâts dans sa bouteille
n'a plus de mer à boire et les planètes
qui subliment son corps l'encerclent
d'anneaux pensants

elle renonce à l'immonde scarification
du temps et jouit du dehors en dedans
car pour cette complice de l'invisible
tout
n'est pas pareil
et tout
est autre chose

cinquante-six

on la reconnaît aux bagages fumants
du silence qui brûle sur l'oreiller
du désert

elle fond au moindre vent d'infortune
elle perd
toute envie de mémoire et se dépouille

ensevelie
consentie

elle a droit au marbre
mais revenez demain où finit le désert bleu
où se noient les comètes où s'effacent
les paysages du sommeil
où le monde mourant à son pouls s'essouffle
me souffle-t-elle à l'oreille

cinquante-sept

l'accident qu'une pâtissière idolâtre
prépare au sein d'une foule assombrie
pour confondre ses non et nos oui –
léchez-lui les lèvres
et ululez !

l'immense mère nocturne
aux hiboux de lune réfugiée
qui repasse ses nappes et les range au fond
de l'armoire enceinte – allez, léchez-lui
les lèvres et ululez !

et celle qui attend de saigner
et la faim qui fouille ses débris
et vos hardes d'araignées qui décorent
les cintres – allez lui lécher les lèvres
et ululez ! ululez !

cinquante-huit

dès midi
le corps s'enfuit
où l'avenir n'a rien
de neuf; un banjo grêle
la dégraisse où les buissons
jumeaux de ses aisselles se dévêtent,
pour que le vide enfin la repose du sommeil
de ses os brisés; des pièces d'ébène lévitent
dans la trouée du regard et elle recule
pour enfoncer le pieu marqueur
dans le soleil qui lui sourit
de tous ces mots
qu'elle a faits
terre

cinquante-neuf

la voix transfuge dans ce corps migrateur
    réfugiée sur la langue aux appétences
d'olives volées à l'ombre, elle irait vivre
dans un arbre que le vent de la mémoire
secoue
        et la lenteur explosive d'héroïne
et de soleil aux senteurs de vieux lilas –
déjà moins qu'un parfum –
                            lui mettrait
le feu aux joues

vous reconnaissez ces dents ou ces mains
comme des voiles agrippées au ciel
ou les barques bleues de ces îles nouvelles
disait-elle
        au mari mourant dans la poussière
des médecins qui – eux ! – ne savent guère
que mourir mieux

soixante

de tant tuer elle se réveille
en prison mais continue de rêver
à la louve funambule sans solution
à l'orage qui secoue ses fenêtres, elle
si sirène mais qui n'a jamais su siffler

une marée de goélands voyous
et de voyelles monte en elle
comme un cri de bataille
ou le trou d'air
d'un animal
aimé

sous le barrage d'artillerie le paradis
n'a pas d'odeur et elle s'en évade
pour sourire au conteur muet

soixante et un

languir, en mémoire d'une prison
toutes portes ouvertes où l'éternité
même est temporaire, et y perdre
   ses entrailles

les miroirs deviennent des fenêtres
ou est-ce le contraire, un nouvel art
   de la guerre ?

la magie pense l'image qu'elle saisit
entre ses lèvres au passage du simoun
qu'elle imite, et sa mémoire imagine
   ce qu'elle oublie

elle
   qui s'eût voulue mère d'un homme
      déjà vieux

soixante-deux

on entend le gémissement de leur fumée
comme une pauvreté choisie, ou un refus.
Des voiles enflées de prophéties flamboyantes,
puis noyées dans la dérive des brouillards.

Les héritiers se disputent leurs couverts d'argent,
leur mélancolie se dévoile au ciel ébloui.
D'hôtel en hôtel, la plus profonde confiture
de bijoux peut encore être une plume à la mer.

Elles restent suspendues par les cheveux,
les yeux résolument fermés sous les regards
ennemis…

Leur paysage n'impose aucun message
au bréviaire du voyageur posthume
à la recherche d'un archipel

soixante-trois

un gant de cristal nous appelle au dévouement
des lunettes sur le front – et si nous la faisions
danser ?

puis ses drapeaux nous apprirent à voler dans la
poussière blanche du soleil – et si nous vendions
son corps ?

car sa mort nous creuse l'appétit et la poussière
étouffe ce qui l'éclaire – et si la lune était verte
d'envie ?

ou est-ce d'elle en avril que riait aux éclats tout
ce qui assoiffe novembre quand nous lavons ses
reliques ?

et le mot savon lave-t-il plus que le mot sale si le
vent lui dévore la voix, ou si le singe descend de
l'homme ?

ou si les saintes enceintes tombent des arbres
incapables de mentir au miroir sur le dos du
vitrier ?

s'invente-t-elle un pays de détours pour
baigner dans la cyprine de son reliquaire –
crache-t-elle dans les fruits ?

soixante-quatre

l'amant et l'amante
tirent à eux les frontières
de l'appétit et de la faim
l'amant et l'amante tirent la nuit
par les cheveux et le diable par la queue

l'amante et l'amant se multiplient sans se reproduire
se reçoivent sans s'héberger
se répondent sans
s'interroger

leurs visages
laissent voir le désespoir
des drapeaux et de la combustion
spontanée –
                    sous la transparence,
le jour est rouge

soixante-cinq

la crise utile du présent continu
et du verre qui vole en éclats,
des guérisons inutiles : présentez
armes puis guérissez, aidez-nous
à déménager ces meubles mous.

Chaque nuit neige la fausse manne
du prochain jour et l'auto dévore
des paysages de réclames décoiffées.

Ses racines lèvent l'ancre
et les voici ensemble où
le silence laisse couler l'encre.

Après, l'enflure du chagrin
la fait sourire, puis son
visage vole en éclats

soixante-six

elle n'eut jamais d'ombre en ce jardin
mais en sut tout : ses mille sédiments
de soie fâchée, ses verticales fragiles,
la barque vide qui la suit, mais sut-elle
que la mort affame l'enfance invisible
sous le grain du visage nouveau dans
un champ de chevaux violents et tristes ?

Qui sont ces mouchards qui jardinent
au fond du pré les bobards et qui font
fleurir l'hilarité ? Les nourritures
palliatives du martyre paraissent
aujourd'hui bien lointaines, par
détournement de mansuétude –
est-ce ainsi qu'elle s'est noyée ?

soixante-sept

les sommets neigeux n'empêchent nullement
la plaine de saigner, ni leur goût pur d'inonder
sa bouche de la douceur des hommes. Les tiroirs
du vent dépassent à l'horizon, voilà ce qui fascine
dans ce jardin d'hiver où l'encre des syllabes gèle
son *culetage* discret en ville. Elle s'imagine
devant un château d'eau où l'indifférence
onctueuse des chattes se fond à la langue
vaseuse du fleuve qui lui lèche les pieds
et les cuisses de sa sueur infinie de molle
laitue, et son chant-supin l'entraîne
dans tous les détournements du silence
imprévu, et la lune assassine
met le feu aux téléphones

soixante-huit

sous le frisson de l'arbre
le feu vibre et sous son chapeau
précaire comme le velours pâle du système
polaire, ou comme l'effronterie de ses pieds crus
dans le sable, comme la nuit déjà probable ou comme
la lame mouillée mais sans couteau, sa vie plus précaire
que le système solaire aussi, elle qui turlutait dans la
neige
et qui voyage sur sa lumière et qui pend à son crochet
comme le mauvais goût du bruit sur sa langue
morte, ou comme ce visage en contre-
plongée, comme une fusée sur des
moustaches d'araignée –
le silence, au cœur
du bruit

soixante-neuf

ce naufrage pulsionnel en douceur
d'écran vide ; ces nuées d'étourneaux paresseux
qui informent son cerveau ; ces langueurs qui grandissent
hors saison et à longueur de maison. Elle a beau courir
elle n'en sort jamais, mais un clin d'œil la libère
des bijoux en nage dans ses muscles
d'écureuil volant et elle survole
les vaches dans la luzerne, elle
avale un papillon au chrome
rutilant. Pardon pour le vol
et veuillez excuser l'envol
et croire qu'on regrette
infiniment l'outrage
à vos aisselles !

soixante-dix

un baleineau muet dérive dans le sang
de celle que le feu nourrit ; elle s'écarte
de sa proie, se fond à l'ombre du patois
miné et s'énerve dès qu'on la sert
ou qu'on la serre un peu
icitte,
pis astheure. Elle pend aux nerfs
de l'étoile sevrée et la dégringolade
s'accentue : le feutre avalera ses dés
dans la lumière verte à l'horizon qui se rapproche
d'autant plus rétrécie qu'il suffit à cette ailée qui plie
au pied du jour d'allonger le pas pour que son bras
s'arrête au coude : enceinte jusqu'aux épaules
la soprano s'en léchera les doigts

soixante et onze

ses ovaires ont-ils oublié
qu'on leur envoyait la main,
soudaine comme une langue

soudanaise qui s'allume
sous la lune quand on l'étrenne
en la saupoudrant de lait ?

et est-ce l'en-tête qui l'ancre
là où le poivre acquiesce
ou son encre qui s'entête ?

et qui acquiesce à la prière
des yeux enflés quand la fente
reste rose et violente

et soudaine comme une langue
parlée pour la première fois ?

soixante-douze

le recul du glacier
comme une auréole d'hirondelles
qui dénoncent ses lilas
et sa traîne de casseroles précoces
comme des boîtes d'étain
viles enfilées sur des ficelles

et tout ce qui la signale aux fiancées
qui mendient aux fenêtres
et le secret en dur des cheminées
du dégel méthodique
et sans définition

comme la poésie avant
qu'on l'écrive et qui s'égueule
dans un champ vide et la rue
qui ne se gratte plus
dans ses fenêtres

soixante-treize

elle équeute son nom signé
sous l'horizon des seins
dormeurs et elle emprunte
au cañon nu son parfum
de clochettes et de chevilles
devant la mer car elle admire
la parcimonie des insectes
dans sa sobre crinière et
quand le grain se couche
le temps l'acquitte à petits
jets anecdotiques pour qu'elle
accouche accidentellement
dans ce ravin, devant la nuit
des autres – qui dit mieux ?

soixante-quatorze

Télémaque se mord le cœur
dans le secret du salon vert.
Le jour retire son voile pour
le guérir. Est-ce vers le blanc
simulé de la naissance ou vers
le trou noir du corps dormant ?
Jusqu'à ce jour le mystère des
cages demeure entier. A-t-elle
appris à nager sous la paille des
rosiers ? Pourquoi dévore-t-elle
tout ce qu'il lui verse à la volée ?

Les soupirants se sont noyés
sous leurs chapeaux feuillus
en soupirant : *m'aimiez-vous ?*

soixante-quinze

chaque jour d'éternité pour en découdre
avec les déchirures du sommeil sans sourcils,
l'autre corps en elle voyage sous sa jupe d'os
brisés et la faussaire se désole de ce mariage
insolent du sel et du ciel, les genoux rougis
par les neuvaines des chevaux creux, elle
ouvre les cuisses lui lèche les lèvres
et l'éclabousse de verre brisé

le purgatoire lui a souri, la tache
sombre s'étend comme la mélodie
d'un rhume et le monde plein de son
absence rétrécit, le pain qui dort au cœur
de la miche immobile soudain revit s'envole
ravi par l'éclair blanc, comme le baiser volé

soixante-seize

une jalousie
la protège
des étoiles
dès l'aurore intime

les couleurs
réfugiées
se taisent
dans le noir intime

elle s'endort
agenouillée
dans les blancs
de ce poème intime

des boules…
de nuit…
roulent…
sur ses lèvres…

soixante-dix-sept

l'informe précède à petites doses
médicinales le seuil de son réalisme
rehaussé d'amphétamines où le delta
se soigne au miel avec un murmure
au cœur de la vague qui s'abat sur sa
carte du Tendre à l'embouchure de ce
poème qui engendre déjà ce qu'elle
ne sait plus dire

il convient alors aux pieux d'être attentifs
à la réplique de son corps à sa nuit de tous
les jours aux poumons éclatés et au chagrin
de la clôture abîmée, à ces gravats lumineux
à l'instant de la partition, celle qui lui déchire
la moelle des os

soixante-dix-huit

en mai la laine du ciel s'alourdit
la moelle s'envole et l'empreinte
parfumée de l'éclair déchire
les cèdres

en juin la porte s'ouvre
quand elle éternue puis se
referme comme un coup de fusil
suivi d'un cri

ses pièges précèdent les nuages
d'allergies et la suie tire ses balles
dans la bourre où dorment
les pépites

là où la friture s'éternise
la faim crépite

soixante-dix-neuf

au mal de mer
qui la renverse au seuil
de l'anse au creux de l'hiver où veillent
les vieillards, elle oppose son printemps
et les joues liliales d'une lune consciente
en reconnaissance de ces nouvelles terres

car ses gencives lisses ont pris le temps
qu'il faut, le sien le nôtre le vôtre
et celui de tous les autres
pour mordre la poussière

et ses vapeurs itinérantes
traînent les bijoux brandis
de la Gitane de motel
en motel en motel

quatre-vingt

les dents de la cordillère l'ont déchirée –

elle s'enroule dans un suaire de pluie
pour se délier du sourire des vivants
sa tête va cogner contre la cendre
bleue des cloches, car elle fut
avaleuse de couteaux d'ombre
et pour guérir de l'apôtre
et de ses ténèbres d'os
qui l'enserrent
les mots
n'existent plus –

les dents de la cordillère l'ont déchirée

quatre-vingt-un

les nœuds de ce tronc
torve amputé de gestes
deviennent ses yeux
d'absence pour traquer
les livraisons de l'aube
et lui élargir
la faille,

quand la lampe qu'elle
échappe nous fait tache
le soleil s'agenouille
dans sa friture d'insectes
pour applaudir les étoiles
qu'elle ensemence par
la brèche,

elle porte alors la blouse
du jour imprévu comme
le verre d'un bonheur
accidentel

quatre-vingt-deux

aveugle
lui suffit-il pour lire
le ciel en archipel d'avoir
les yeux grands ouverts et les narines
distendues d'un paon criard qui hausse les épaules
devant la nuit goulue ?

devenue
le murmure de la pluie qui roucoule
sur le toit et l'âme en cavale quand le corps traqué
s'absente, la voici vêtue de cymbales avides
de tout l'espace
à rattraper,

car la peur impraticable du pèlerin d'absence
peut à tout moment quitter son corps

quatre-vingt-trois

le velours du jour un jus
de soleil distillé la déboutonne
en mille soupirs mystiques où les idées
finissent, un lendemain de banlieue triste
à boire jusqu'au tracas des crépuscules
où l'enfant noyé reste suspendu
à ses envies

puis on se lasse de la lune
de sa coupe opaline de sa sèche
beauté d'aspirine, quand le bruit des bottes
qu'elle fuit la suit partout, pardon
pour ce viol et pour l'envol
et croyez que je regrette
tout,
        infiniment

quatre-vingt-quatre

une brève durée se détache
de la voleuse d'aube qui jeûne
sans faim, une lave giclure d'abîme
l'accompagne à la coupée des larves
et la mer à ses pieds ment au troupeau
d'étoiles qui broutent l'herbe du sommeil
je respire
                je respire
                                je respire
dit-elle enfin, puis elle exhale un renvoi d'âme
par la bouche du vent faste et la banquise
de pierre l'échappe dans la lumière
réticente et conquise
de se savoir
si récente.

pour dire

combien le duc de Saint-Simon eut raison d'écrire
dans son avant-propos qu'il est vain de tenter
de prouver qu'il fait jour quand le soleil luit[4]
eh !
c'est sa peau qui nous fleurit
quand elle élit domicile
dans l'aisselle de l'explosion
et par sa nature le désir
ne peut jamais être satisfait

le néant nous avale à la diable
et Dieu, s'il existe, fréquente
ce bordel : c'est son corps
qui nous met le feu
aux joues !

NOTES

1 - Rina Lasnier, *Marées*, dans *Poèmes I*, Montréal, Éditions Fides, 1972, p. 164.

2 - Nicole Brossard, *Sous la langue*, Montréal, Éditions Typo, 2006.

3 - Rina Lasnier, *Le mur*, dans *Poèmes I*, Montréal, Éditions Fides, 1972, p. 225.

4 - « Qui est-ce qui se soucie maintenant des personnages qui y sont dépeints, et qui prend part aujourd'hui aux actions et aux manéges qui y sont racontés ? Rien n'y blesse donc la charité, mais tout y instruit et répand une lumière qui éclaire ceux qui les lisent. S'étendre davantage sur ces vérités seroit s'exercer vainement à prouver qu'il est jour quand le soleil luit. » – Louis de Rouvroy, duc de Saint-Simon, *Mémoires*, extrait de l'avant-propos : *Savoir lire l'histoire, singulièrement celle de son temps* (1743).

Table des matières

Les Éditions L'Interligne
261, chemin de Montréal, bureau 310
Ottawa (Ontario) K1L 8C7
Tél.: 613 748-0850 / Téléc.: 613 748-0852
Adresse courriel: commercialisation@interligne.ca
www.interligne.ca

Directeur de collection: Michel Muir

Œuvre de la page couverture: Shutterstock
Design de la couverture: Melissa Casavant-Nadon
Graphisme: Estelle de la Chevrotière Bova
Correction des épreuves: Jacques Côté
Distribution: Diffusion Prologue inc.

Les Éditions L'Interligne bénéficient de l'appui financier du Conseil des arts du Canada, de la Ville d'Ottawa, du Conseil des arts de l'Ontario et de la Fondation Trillium de l'Ontario. Nous reconnaissons l'aide financière du gouvernement du Canada par l'entremise du Fonds du livre du Canada (FLC) pour nos activités d'édition.

Les Éditions L'Interligne sont membres du Regroupement des éditeurs canadiens-français (RECF).

RECYCLÉ
Papier fait à partir de matériaux recyclés
FSC® C103567

Imprimé sur du papier Enviro 100% postconsommation
traité sans chlore, accrédité ÉcoLogo et fait à partir de biogaz.

BIO GAZ

Ce livre est publié aux Éditions L'Interligne à Ottawa (Ontario), Canada. Il est composé en caractères Caslon, corps douze, et a été achevé d'imprimer sur du papier Enviro 100 % recyclé par les presses de Marquis Imprimeur (Québec), 2015.